Clár

Caibidil 1

An Cailín Nua

Is é Tiarnán de Staic an buachaill **is slachtmhaire***
ar scoil. Tá sé ard agus láidir agus tá gach duine tógtha
leis, fiú amháin na múinteoirí. Tá sé an-mhaith ag
spórt freisin. Tá sé ábalta liathróid a chiceáil chomh
hard suas sa spéir go mbíonn sí dóite ag an ngrian
nuair a thagann sí anuas. Tá ar a chumas rith i bhfad
níos tapúla ná na páistí eile. D'éireodh leis rás a
bhuachan fiú dá mbeadh gach duine eile ar rothar.
Agus tá na cailíní go léir i ngrá leis. Gach cailín beo acu.

*   is breátha; is dóighiúla

1

Lá amháin tháinig cailín nua chun na scoile, mar a tharlaíonn ó am go chéile. Lá amháin níl siad ann agus an chéad lá eile tá siad ansin amhail is go raibh siad ann riamh. Thit Tiarnán de Staic i ngrá leis an gcailín nua ar an bpointe nuair a chonaic sé í den chéad uair.

"Féach ar an gcailín sin," arsa seisean. "Tá dath na draíochta ar a cuid gruaige. Tá a béal chomh binn le glór na n-éan. Tá a súile chomh lonrach le seoda gleoite. Sin í an cailín domsa. Níl uaim ach a lámh a thógáil. Ní hé go bhfuil mé ag iarraidh a lámh a thabhairt liom abhaile i mo mhála. Ba mhaith liom a lámh a thógáil agus é fós i bhfostú di."

"Téigh anonn agus labhair léi mar sin," arsa An Dochtúir Éamonn Ó Murchú.

Bhí gruaig fhada dhonn ar An Dochtúir Éamonn Ó Murchú agus bhí aghaidh **dhathúil*** i bhfolach faoi phéire spéaclaí móra. Ba í seo an cara ab fhearr a bhí ag Tiarnán.

Ach, sula rachaimid níos faide leis an scéal, tá mé cinnte go bhfuil tú fiosrach faoin ainm aisteach atá uirthi.

An fáth go raibh ainm chomh haisteach ar An Dochtúir Éamonn Ó Murchú

Nuair a bhí An Dochtúir Éamonn Ó Murchú ar tí teacht ar an saol, dúirt a mamaí, "Tá mé chun mo shúile a dhúnadh agus nuair a osclóidh mé arís iad feicfidh mé ainm mo pháiste os mo chomhair amach."

Dhún sí a súile.

Nuair a d'oscail sí arís iad, bhí fear cineálta ina sheasamh lena taobh.

---

* bhreá; álainn

Bhí cóta fada bán air agus an t-ainm 'An Dochtúir Éamonn Ó Murchú' scríofa ar lipéad ar a chóta.

Agus sin an fáth gur tugadh An Dochtúir Éamonn Ó Murchú ar An Dochtúir Éamonn Ó Murchú.

***

Ar ais sa chlós spraoi, bhí dhá shúil Thiarnáin ag teacht amach as a cheann **ag stánadh*** ar an gcailín nua.

"Ar aghaidh leat, a Thiarnáin," arsa An Dochtúir Éamonn Ó Murchú. "Iarr amach í. Tá mé cinnte go mbeidh sí breá sásta. Ní dhiúltódh cailín ar bith tusa."

"Ceart go leor," arsa Tiarnán. Tharraing sé anáil isteach. Chóirigh sé a chuid gruaige lena lámh agus tharraing sé suas a **mhuinchillí**** chun na matáin mhóra láidre a bhí aige a thaispeáint.

---

* ag féachaint gan stad
** an chuid de gheansaí a chlúdaíonn na lámha

Ansin shiúil sé anonn chuig an gcailín.

"Haileo," arsa Tiarnán. "Cén t-ainm atá ortsa?"

"Laoise Ní Chualáin," arsa an cailín nua. Bhí sí
an-dathúil go deo. Bhí sí chomh dathúil sin
gur cheap Tiarnán go bpléascfadh a chroí ina
chliabhrach*.

"Sin ainm deas," arsa Tiarnán. "Mise Tiarnán de
Staic. Ar mhaith leat dul amach liom?"

"Fan go bhfeicfidh mé," arsa Laoise. "Tá tú
an-slachtmhar."

"Tá sé sin fíor," arsa Tiarnán agus meangadh gáire
air.

"Agus tá mé cinnte go bhfuil tú go maith ag spórt,
nach bhfuil?"

*   ucht; cliabh

"Tá **go deimhin***," arsa Tiarnán go sásta. "Is mise an peileadóir is fearr sa scoil, an peileadóir is fearr in Éirinn b'fhéidir."

"Agus tá mé cinnte go bhfuil na cailíní ar fad i ngrá leat, nach bhfuil?" arsa Laoise.

"Tá siad caillte le cion orm," arsa Tiarnán.

"Bhuel, níl mise," arsa Laoise. "Is cuma liomsa cé chomh slachtmhar is atá tú nó cé chomh maith is atá tú ag imirt peile nó cé mhéad cailín atá i ngrá leat.
Níl suim agamsa i rud ar bith ach mata."

"Ach, níl aon mhaith liomsa ag mata," arsa Tiarnán. "Gach uair a dhéanann mé iarracht mo chuid suimeanna a fhoghlaim, tagann tinneas cinn orm."

"Bhuel! Ná bac le labhairt liom mar sin," arsa Laoise Ní Chualáin. Chas sí ar a sáil agus shiúil sí léi.

---

*   go cinnte

Agus fágadh Tiarnán ina sheasamh ansin, **croíbhriste*** sa bháisteach. Rinne mé dearmad a rá go raibh sé ag báisteach, ach bhí. Bíonn sé i gcónaí ag cur báistí nuair a bhristear do chroí. Sin é an saol.

Caibidil 2

Cráite ag Mata

An tráthnóna sin, bhí Tiarnán ar cuairt i dteach An Dochtúir Éamonn Ó Murchú. Bhí siad ag féachaint ar scannán dar teideal "Féilim Fathach agus na Crainn Chrosta". Bhain an scéal le **fathach*** a bhíodh ag leagan crann chun pinn luaidhe a dhéanamh. Níor thaitin seo leis na crainn agus bheartaigh siad cuisneoir a dhéanamh as an bhfathach.

"Cas as é," arsa Tiarnán tar éis tamaill.

*   fear ollmhór

"Cén fáth?" arsa An Dochtúir Éamonn Ó Murchú. "Seo an chuid is fearr den scannán. Faigheann na crainn an ceann is fearr ar an bhfathach."

"Níl aon fhonn orm féachaint air," arsa Tiarnán. "Níl mé ábalta Laoise Ní Chualáin a chur amach as mo cheann. Is breá liom an bealach a shiúlann sí. Is breá liom an bealach a labhraíonn sí. Is breá liom an bealach a shuíonn sí ar bhosca prátaí faoin bhfarraige."

"Ní fhaca tú riamh í ina suí ar bhosca prátaí faoin bhfarraige," arsa An Dochtúir Éamonn Ó Murchú.

"Tá sé sin fíor," arsa Tiarnán. "Ach is breá liom gach rud a dhéanann sí. Níl aon neart agam air."

"Tá tú i ngrá," arsa An Dochtúir Éamonn Ó Murchú. "Ach ná bíodh aon imní ort. Tá mise go maith ag mata. Múinfidh mé mata duit agus beidh tú chomh maith liomsa. Ansin rachaidh Laoise Ní Chualáin amach leat."

Shuigh an bheirt acu síos ag an deasc agus thosaigh sí ag cur ceisteanna mata air.

"Céard é a dó **móide*** a trí, a Thiarnáin?" arsa An Dochtúir Éamonn Ó Murchú.

"Um... míle?" arsa Tiarnán.

"Ní hea go díreach," arsa An Dochtúir Éamonn Ó Murchú. "Triailfidh muid arís é. Féach air seo."

Ag an nóiméad sin, d'oscail doras an tseomra agus tháinig máthair An Dochtúir Éamonn Ó Murchú isteach.

"Cé mhéad uair a chaithfidh mé é a rá libh," arsa máthair An Dochtúir Éamonn Ó Murchú. "Casaigí as an teilifís agus tosaígí ar an obair bhaile."

Ansin chonaic sí an méid a bhí ar siúl acu. Bhí an teilifís **múchta**** agus bhí na páistí ina suí ag an deasc ag obair leo go ciúin.

*   agus
** casta as

"Ó!" arsa máthair An Dochtúir Éamonn Ó Murchú. "Tá sibh ag déanamh an obair bhaile. Tá brón orm."

Chaith Tiarnán agus An Dochtúir Éamonn Ó Murchú an chuid eile den tráthnóna ag obair ar mhata le chéile.

"Céard é a **deich lúide a cúig***?" arsa An Dochtúir Éamonn Ó Murchú.

"Míle?" arsa Tiarnán.

"Iarracht mhaith," arsa An Dochtúir Éamonn Ó Murchú. "Ceart go leor. Céard é **a sé faoi a dó****?"

"Míle?" arsa Tiarnán.

"Beagnach," arsa An Dochtúir Éamonn Ó Murchú. "Maith go leor. Má tá úll amháin i mo lámh chlé agam agus dhá úll i mo lámh dheas agam, cé mhéad úll ar fad atá agam?"

"Míle?" arsa Tiarnán.

*   deich le cúig bainte as
** a sé iolraithe faoi a dó; a sé méadaithe faoi a dó

"Óbhó," arsa An Dochtúir Éamonn Ó Murchú. "Triailfidh muid uair amháin eile é. Céard é naoi gcéad nócha a naoi móide a haon?"

"Seacht?" arsa Tiarnán.

"Óbhó go deo," arsa An Dochtúir Éamonn Ó Murchú. "Uair amháin eile mar sin, ceart go leor?"

"NÍL SÉ CEART GO LEOR," arsa Tiarnán agus a aghaidh dearg. Bhí náire air mar go raibh sé chomh dona ag mata. "Ní bheidh mé go maith ag mata go deo," a bhéic sé. "Níl mé ag iarraidh do chúnamh. Bíodh an diabhal agat. Slán!"

Amach as an seomra leis go feargach. Síos an staighre leis go feargach. Amach an doras leis go feargach. Bhí Tiarnán de Staic an-fheargach go deo.

"Óbhó," arsa An Dochtúir Éamonn Ó Murchú. "Ní raibh uaim ach cúnamh a thabhairt dó."

Caibidil 3
An tÉinín

Bhí cúpla drochlá ag Tiarnán ina dhiaidh sin. Bhí náire fós air mar go raibh sé go dona ag mata. Bhí sé **trína chéile*** mar go raibh sé gránna leis An Dochtúir Éamonn Ó Murchú. Agus bhí a chroí trom mar nach raibh Laoise Ní Chualáin ag iarraidh dul amach leis.

Nach bhféadfadh sé a rá leis An Dochtúir Éamonn Ó Murchú go raibh brón air? Níl sé sin éasca nuair atá a fhios agat go raibh tú i d'amadán agus go ndearna tú rud an-amaideach go deo.

* cráite; míshuaimhneach

Go minic, bíonn sé i bhfad níos éasca ligean ort féin nár tharla an rud ar chor ar bith.

Mar sin, níor ghabh Tiarnán a leithscéal lena chara. Nuair a d'fheiceadh sé í sa rang nó sa chlós, thagadh dath dearg ar a aghaidh agus **ní ligfeadh an náire dó féachaint uirthi***.

Tráthnóna amháin bhí traenáil peile ag Tiarnán tar éis na scoile. De ghnáth, éiríonn le Tiarnán deich gcúl ar a laghad a aimsiú, ach níor éirigh leis oiread is ceann amháin a fháil an tráthnóna sin mar go raibh sé chomh brónach.

"Níl aon mhaith liom ag peil níos mó ach an oiread," arsa Tiarnán agus é ag siúl abhaile tar éis an chluiche. "Níl maith do dhada ionam."

Bhí an talamh **brataithe**** le duilleoga órga. Bhí an solas buí ó na lampaí sráide ag lonrú anuas orthu. Tráthnóna álainn fómhair a bhí ann ach níor thug Tiarnán faoi deara é mar go raibh sé róbhrónach.

---

* bhí an iomarca náire air chun féachaint uirthi
** clúdaithe

"Mo mhallacht ar an bpeil!" arsa Tiarnán. "Mo mhallacht ar an diabhal mata! Mo mhallacht ar An Dochtúir Éamonn Ó Murchú! Mo mhallacht ar Laoise Ní Chualáin! Mo mhallacht ar na duilleoga seo!"

Chiceáil Tiarnán **carn*** mór duilleog agus scaip siad i ngach áit.

"Hóigh!" arsa glór. "Céard sa diabhal atá ar siúl agat?"

Bhreathnaigh Tiarnán thart air. Ní raibh aon duine le feiceáil. Ansin d'fhéach sé síos. Bhí gob éinín le feiceáil ag síneadh amach as na duilleoga. Bhí cloigín timpeall ar a mhuineál.

"Céard sa diabhal atá ar siúl agat?" arsa an tÉinín arís. "Is beag nár bhain tú an gob díom!"

"Éinín ag caint," arsa Tiarnán. "A leithéid de sheafóid!"

---

* cnocnán beag de rudaí bailithe le chéile

"Seafóid, an ea?" arsa an tÉinín agus cantal air.
"Bhuel ceapann éiníní gur sibhse atá seafóideach agus
sibh ag eitilt thart in eitleáin."

"Hmm," arsa Tiarnán. "Níor smaoinigh mé air sin.
Nach cliste an tÉinín beag thú!"

"Tá an ceart agat," arsa an tÉinín. "Tá mé cliste.
D'fhreastail mé ar Ollscoil na nÉan agus bhain mé
céim amach sa mhata ansin."

"Bhuel, bhí sé go deas bualadh leat," arsa Tiarnán.
"Slán."

D'imigh Tiarnán leis síos an bóthar. Ansin
chuimhnigh sé air féin.

"Fan nóiméad," arsa seisean. Rith sé ar ais chuig an
Éinín.

"An ndúirt tú go bhfuil tú go maith ag mata?" arsa
Tiarnán.

"Dúirt," arsa an tÉinín. "Agus?"

"Céard é a sé faoi a sé?" arsa Tiarnán.

"Éasca," arsa an tÉinín. "Tríocha a sé."

Thóg Tiarnán amach a leabhar mata as a mhála. Leabhar mór dearg a bhí ann agus é lán le huimhreacha. "An Leabhar Mór Dearg Mata atá Ródheacair do Thiarnán" an teideal a bhí air.

D'fhéach Tiarnán tríd an leabhar.

"Tá an ceart agat," arsa Tiarnán. "Sé faoi sé, sin tríocha a sé! Ceart go leor, céard é caoga roinnte ar a dó?"

"Éasca," arsa an tÉinín. "Fiche a cúig."

"Ceart arís," arsa Tiarnán. "Céad agus seacht lúide a ceathair déag?"

"Nócha a trí," arsa an tÉinín.

"Tríocha móide a hocht?"

"Tríocha a hocht," arsa an tÉinín.

"Naoi míle roinnte ar a sé?"

"Míle cúig chéad," arsa an tÉinín agus é **bréan den chluiche*** éasca seo. "Nach bhfuil aon cheist chrua agat orm?"

"Níl tú go maith ag mata," arsa Tiarnán. "Tá tú IONTACH ag mata! Éist, tá fadhb agam. Meas tú an bhféadfá lámh a thabhairt dom? Nó, sciathán b'fhéidir?!"

Smaoinigh an tÉinín air seo ar feadh cúpla nóiméad.

"Ceart go leor," arsa seisean. "Tá an t-ádh ort gur éinín deas mé agus beidh mé sásta cabhrú leat."

Leis sin, phioc Tiarnán suas an tÉinín agus chuir sé isteach ina phóca é. Bhí meangadh mór gáire ar a aghaidh an chuid eile den bhealach abhaile.

* tinn, tuirseach den chluiche

Caibidil 4

Labhraíonn Tiarnán
le Laoise Ní Chualáin

Bhí meangadh gáire fós ar aghaidh Thiarnáin an mhaidin dar gcionn. Bhí meangadh air le linn an ranga ar fad agus nuair a d'fhéach An Dochtúir Éamonn Ó Murchú air rinne sé meangadh ar ais léi. B'fhada leis go dtiocfadh am sosa.

Faoi dheireadh buaileadh an cloigín agus rith Tiarnán amach as an rang. Chonaic sé An Dochtúir Éamonn Ó Murchú ina seasamh in aice le balla sa chlós spraoi.

Bhí uachtar reoite mór millteach ina lámh aici. Bhí Tiarnán ar tí dul chun cainte léi, ach d'athraigh sé a intinn. Bhí rudaí níos tábhachtaí **ar a aire***.

Bhí Laoise Ní Chualáin thall ag an ngeata ag léamh irisleabhar faoi phopcheol, **smideadh**** agus faisean. Bhí dath na draíochta ar a cuid gruaige. Bhí a béal chomh binn le glór na n-éan. Bhí a súile chomh lonrach le seoda gleoite.

Tharraing Tiarnán anáil mhór isteach.

Chuir sé caipín dearg ar a cheann.

"Réidh?" arsa Tiarnán.

"Réidh," arsa an tÉinín faoin gcaipín.

Shiúil Tiarnán anonn chuig Laoise Ní Chualáin.

"Haileo," arsa Tiarnán.

* ar a intinn
** cosmaidí le cur ar an aghaidh

Bhí Laoise Ní Chualáin ag léamh alt san irisleabhar dar teideal "Stíleanna Gruaige a Mheallfaidh na Buachaillí".

Níor bhac sí fiú amháin féachaint aníos ón leathanach.

"Dúirt mé leat gan labhairt liom," arsa sise.

"Ach tá mé an-mhaith ag mata anois," arsa Tiarnán. "Bhí mé ag cleachtadh mo chuid suimeanna."

"Mar sin é?" arsa Laoise Ní Chualáin, agus í ag féachaint air. "Bhuel, céard é tríocha móide daichead mar sin?"

"Seachtó," arsa an tÉinín i gcogar faoin gcaipín.

"Seachtó," arsa Tiarnán.

"Maith go leor," arsa Laoise Ní Chualáin. "Céard é fiche roinnte ar a ceathair?"

"A cúig," arsa an tÉinín i gcogar.

"A cúig," arsa Tiarnán.

"A naoi déag móide seachtó a hocht," arsa Laoise Ní Chualáin.

"Nócha a seacht," arsa an tÉinín i gcogar.

"Nócha a seacht," arsa Tiarnán.

"Bhuel, is cinnte go bhfuil tú in ann mata a dhéanamh anois," arsa Laoise Ní Chualáin.

"An rachaidh tú amach liom mar sin?" arsa Tiarnán.

"Ní rachaidh mé, ná baol orm," arsa Laoise Ní Chualáin.

"Iontach!" arsa Tiarnán. "An rachaidh muid chuig scannán mar sin - hé, fan nóiméad! Céard a dúirt tú?"

"Dúirt mé nach rachaidh mé amach leat," arsa Laoise Ní Chualáin. "Tá m'intinn athraithe agam. Níl aon suim agam sa mhata níos mó."

"Céard?" arsa Tiarnán. Ní raibh sé in ann é a chreidiúint.

"Tá suim agam i bpríomhchathracha anois," arsa Laoise Ní Chualáin. "An bhfuil aon mhaith leat ag príomhchathracha, a Thiarnáin?"

"Níl," arsa Tiarnán. "Faighim measctha suas leo."

"Is mór an trua é sin," arsa Laoise Ní Chualáin. "Ná bac le labhairt liom mar sin."

Thosaigh Laoise Ní Chualáin ag léamh a hirisleabhar arís, alt dar teideal "Conas a bheith gránna le buachaill deas".

Bhí sé ag cur báistí arís. Chas Tiarnán thart agus shiúil sé leis amach as clós na scoile.

"An bhfuil tú ceart go leor, a Thiarnáin," arsa An Dochtúir Éamonn Ó Murchú.

"Níl i ndáiríre," arsa Tiarnán.

"Chuala mé an méid a dúirt sí," arsa An Dochtúir Éamonn Ó Murchú. "D'fhéadfainn cúnamh a thabhairt duit na príomhchathracha a fhoghlaim."

"Níl mé ag iarraidh do chúnamh," arsa Tiarnán. "Tá gach rud bun os cionn. Lig liom."

Rith sé ar ais isteach sa scoil. Bhí a shúile fliuch ach dúirt sé leis féin nach raibh sé ag caoineadh. Ní raibh ann ach an bháisteach.

Caibidil 5

Príomhchathracha

Bhí Tiarnán ina sheomra codlata. Bhí **pus*** air.
Bhí an tÉinín ag preabadh thart ar leaba Thiarnáin ag
ithe síolta éan. Bhuail an cloigín gach uair a phreab
an tÉinín.

"Nach agatsa atá an saol breá," arsa Tiarnán leis an
Éinín. "Níl dada le déanamh agat ach preabadh thart
anseo agus ansiúd. Níor briseadh do chroí riamh."

---

* aghaidh mhíshásta; aghaidh ghruama

Níor fhreagair an tÉinín é. Chrom sé a cheann chun síol beag eile a ithe.

"Mo mhallacht ort, a Éinín," arsa Tiarnán. "Cén fáth ar chuir mé mo mhuinín ionat?"

D'oscail sé an leabhar a bhí fágtha ar a dheasc. "Príomhchathracha an Domhain nach gCuimhneoidh Tiarnán Orthu Go Deo".

Lig sé osna.

Ansin bhuail an fón. D'fhreagair Tiarnán é.

"Haileo," arsa seisean. Cheap sé ar feadh nóiméad craiceáilte amháin gurbh í Laoise Ní Chualáin a bhí ann, ach smaoinigh sé ansin nach raibh a uimhir aici.

"Haileo, a Thiarnáin," arsa an glór ar an bhfón. An Dochtúir Éamonn Ó Murchú a bhí ann. "Níl mé ach ag iarraidh fáil amach an bhfuil tú ceart go leor."

"Tá mé **togha***," arsa Tiarnán. Ní raibh sé togha ar chor ar bith. Bréag a bhí ann.

"Ní raibh mé chomh maith riamh."

"Ceart go leor," arsa An Dochtúir Éamonn Ó Murchú. "Ach, éist, má tá cúnamh uait leis na príomhchathracha, mise an cailín!"

"Níl aon chúnamh uaim," arsa Tiarnán. Bhí a aghaidh dearg agus bhí náire air. Bhí sé sásta nach raibh a chara ábalta é a fheiceáil. "Tá mé togha, *ceart go leor*?"

"Ceart go leor," arsa An Dochtúir Éamonn Ó Murchú. Ansin dúirt sí, "Éist, tusa an cara is fearr atá agam, agus níl uaim ach go mbeidh tú sona. An bhfuil tú cinnte go mbeadh tú sásta dá mbeadh tú ag dul amach le Laoise Ní Chualáin?"

"Cinnte bheinn," arsa Tiarnán.

"Agus tá tú cinnte nach bhfuil tú ag iarraidh cúnamh uaim?"

*   ceart go leor

"Tá mé cinnte dearfa nach bhfuil do chúnamh uaim," arsa Tiarnán. "Anois, *slán leat!*"

Chaith Tiarnán an fón uaidh. Mhothaigh sé amaideach.

B'fhéidir gur chóir dom glaoch ar ais agus mo leithscéal a ghabháil léi, arsa seisean leis féin. Ach dá ndéanfadh sé é sin, mhothódh sé níos amaidí fós.

"Níl a fhios agam céard a dhéanfaidh mé!" arsa seisean os ard. "Níl bealach ar bith go gcuimhneoidh mé ar na príomhchathracha seo ar fad!"

"An ndúirt tú príomhchathracha?" arsa an tÉinín go tobann agus é ag féachaint ar Thiarnán.

"Dúirt," arsa Tiarnán. "Cén fáth?"

Thóg an tÉinín síol eile ina bhéal. Ansin d'fhéach sé ar Thiarnán arís.

"Tá eolas agamsa ar gach príomhchathair ar domhan," arsa an tÉinín. "Rinne mé staidéar orthu in Ollscoil na nÉan."

"Cheap mé go ndúirt tú go ndearna tú mata in Ollscoil na nÉan," arsa Tiarnán.

"Nach tú atá **dúr***," arsa an tÉinín. "Rinne mé staidéar ar go leor rudaí in Ollscoil na nÉan. Bheadh a fhios ag préachán an méid sin. Mar a tharlaíonn sé, ba mise an t-éinín ab fhearr i rang na bpríomhchathracha. D'fhéadfá a rá gur **saineolaí**** mé ar an ábhar."

"Ó," arsa Tiarnán. Mhothaigh sé an-amaideach go deo anois. "Tá brón orm. An dtabharfá cúnamh dom mar sin?"

Smaoinigh an tÉinín air féin ar feadh cúpla nóiméad.

"Ceart go leor," arsa an tÉinín. "Ó tharla nach bhfuil rud ar bith eile le déanamh agam inniu."

---

*   tiubh; amaideach
** duine a bhfuil eolas an-mhaith aige/aici ar ábhar ar leith

Caibidil 6

Deireadh Seachtaine Leadránach

Den chéad uair riamh ina shaol, b'fhada le Tiarnán go rachadh sé ar ais ar scoil. Ach ba é Dé Sathairn fós é agus b'éigean dó fanacht. De ghnáth, téann sé chuig teach An Dochtúir Éamonn Ó Murchú ar an Satharn agus imríonn siad gach cineál cluiche. Mura mbíonn siad ar an ríomhaire, bíonn siad ag spraoi sa pháirc. Ó am go ham imríonn siad an cluiche "Mánas Mantach agus an Mhuicín".

Is é "Mánas Mantach agus an Mhuicín" an cluiche is fearr ar domhan. Cluiche do bheirt atá ann ina mbíonn duine amháin ina Mhánas Mantach agus an duine eile ina Mhuicín. Ritheann an bheirt imreoirí timpeall an tseomra agus déanann an Mhuicín iarracht greim a fháil ar Mhánas Mantach. Nuair a éiríonn leis an mhuicín é sin a dhéanamh, béiceann sí:

"Tá tú agam! Tá tú agam!"

Ansin, múchtar na soilse agus imrítear an cluiche sa dorchadas. Bíonn an-spórt ann nuair atá Mánas Mantach agus an Mhuicín ag bualadh in aghaidh an troscáin agus ag titim ar an talamh. Is minic go gcaitear stop a chur leis an gcluiche mar go mbíonn na himreoirí ag gáire an oiread sin nach bhfuil siad ábalta seasamh suas.

Ach ní raibh seans ar bith go mbeadh Tiarnán ag dul ar cuairt ag An Dochtúir Éamonn Ó Murchú an lá sin agus ní raibh seans ar bith go mbeidís ag imirt Mánas Mantach agus an Mhuicín.

Lig Tiarnán **osna***. Shamhlaigh sé bheith ag imirt Mánas Mantach agus an Mhuicín le Laoise Ní Chualáin.

Ach níor cheap sé go mbeadh aon suim ag Laoise sa chluiche sin.

"Nach cuma," arsa Tiarnán leis féin. "Nuair a bheidh Laoise Ní Chualáin ag dul amach liom, ní bheimid ag imirt cluichí seafóideacha ar nós Mánas Mantach agus an Mhuicín. Níl ann ach cluiche do pháistí ar aon nós.

Réitigh Tiarnán ceapaire dó féin don lón. Chuir sé an iomarca mustaird ann agus b'éigean dó é a chaitheamh sa bhosca bruscair. Shuigh sé ar an tolg ag caitheamh liathróidí páipéir leis an mballa.

"Níl cuma róshásta ort, a Thiarnáin," arsa máthair Thiarnáin. "Cén fáth nach dtéann tú ar cuairt chuig An Dochtúir Éamonn Ó Murchú?"

"Níl aon fhonn orm," arsa Tiarnán.

* anáil mhór a ligean amach de bharr tuirse, ísle brí nó faoiseamh

40

"Ach is í an cara is fearr ar domhan agat í," arsa máthair Thiarnáin.

"Is cuma liom," arsa Tiarnán. "Níl aon fhonn orm."

Stop máthair Thiarnáin ag caint ar An Dochtúir Éamonn Ó Murchú. "Cén fáth a bhfuil cac éin ar fud do sheomra codlata, a Thiarnáin?" arsa sise.

"Níl a fhios agam," arsa Tiarnán.

Stop máthair Thiarnáin ag caint air sin freisin.

Bhí Dé Domhnaigh níos measa ná Dé Sathairn. Chaith Tiarnán an lá ar fad ina luí ar an tolg agus pus air. Ní raibh a mháthair in ann cur suas leis a thuilleadh.

"Níl mé chun ligean duit an lá ar fad a chaitheamh i do luí ansin," arsa sise. "Téigh amach faoin aer úr ar feadh uair nó dhó."

Amach le Tiarnán go dtí an pháirc. Ó am go ham téann sé féin agus An Dochtúir Éamonn Ó Murchú chuig an bpáirc agus ligeann siad orthu féin gur **bleachtairí*** iad agus gur **coirpigh**** na daoine eile sa pháirc.

Satharn amháin, chaith siad an lá ag faire ar fhear a bhí ina shuí ar bhinse. Nuair a d'éirigh sé, lean siad é agus iad ag rá rudaí ar nós, "tá an té a bhfuil **amhras***** faoi ag siúl thar an gcrann fuinseoige".

"Tá an té a bhfuil amhras faoi stoptha le taobh an locháin."

"Tá an té a bhfuil amhras faoi ag tabhairt arán do na lachain."

Bhí An Dochtúir Éamonn Ó Murchú den tuairim nach arán ar chor ar bith a bhí sé ag caitheamh leis na lachain ach teachtaireachtaí rúnda ina raibh eolas faoi cá raibh an t-airgead ar fad a bhí goidte aige.

---

*   póilíní a bhíonn ag fiosrú coireanna
**   daoine a bhfuil rud éigin in aghaidh an dlí déanta acu
*** neamhchinnteacht

Ach ní raibh fonn ar bith ar Thiarnán bheith ag leanúint daoine amhrasacha inniu. Ní bhainfeadh sé aon sásamh as ina aonar. Tar éis tamaill d'fhill sé ar an mbaile. Chuaigh sé isteach sa seomra folctha. Nigh sé a chuid fiacla agus réitigh sé é féin le dul a chodladh. Ní raibh sé ach a seacht a chlog ach ní raibh aon fhonn air rud ar bith eile a dhéanamh.

"Nach cuma," arsa seisean leis féin. "Is é amárach an lá mór. Cuirfidh mé ceist arís amárach ar Laoise Ní Chualáin dul amach liom agus an uair seo ní dhiúltóidh sí mé."

Bhí an tÉinín ina sheasamh os cionn ríomhaire Thiarnáin agus é **ina thost***.

---

*   ciúin; gan rud ar bith a rá; gan do bhéal a oscailt

Caibidil 7

Comhrá eile le Laoise Ní Chualáin

B'fhada le Tiarnán go dtiocfadh sos na maidine. Mhothaigh sé go raibh na ranganna níos moille ná mar a bhíodh de ghnáth. Bhí sé den tuairim go raibh duine éigin tar éis an saol ar fad a mhoilliú síos.

"Inn … iu … beidh … muid … ag … fogh … laim … faoi … na … Ró … mhán … aigh," arsa an múinteoir staire. Mheas Tiarnán gur thóg sé céad bliain ar an múinteoir abairt amháin a chur amach as a bhéal.

AAAARRRRR! Ní raibh Tiarnán in ann é a sheasamh.

"Déan deifir, déan deifir," arsa seisean **faoina anáil***.

Rinne An Dochtúir Éamonn Ó Murchú meangadh leis ón taobh eile den seomra ach níor thug sé faoi deara. Bhí sé róghnóthach ag féachaint ar an gclog.

"Bhí ... na ... Ró ... mhán ... aigh ... an- ... spéis ... iúil," arsa an múinteoir. Bhí Tiarnán cinnte go raibh an clog stoptha. Ní fada anois go dtosódh an clog ag dul siar. B'fhéidir go rachadh sé siar an bealach ar fad go dtí aimsir na Rómhánach. Ansin ní bhéadh orthu foghlaim faoi na Rómhánaigh ó mhúinteoir leadránach. D'fhéadfadh siad ceist a chur ar na Rómhánaigh iad féin.

"Thóg ... na ... Ró ... mhán ... aigh ... go ... leor ... ru ... daí ... spéis ... iúil ... a," arsa an múinteoir.

---

*   go ciúin leis féin

AAAAAAAAAAARRRRRRRRRR!

"Déan deifir, déan deifir, déan deifir," arsa Tiarnán.

Buaileadh an cloigín ar deireadh thiar. Rith Tiarnán
amach i gclós na scoile. Bhí An Dochtúir Éamonn Ó
Murchú ina seasamh le balla. Bhí sí ag ithe uachtar reoite
arís. Rith Tiarnán thairsti gan oiread is haileo a rá léi.
Bhreathnaigh sé thart agus chonaic sé Laoise Ní Chualáin.

Bhí sí le taobh na fuinneoige ag cur mascára uirthi
féin.

Bhí dath na draíochta ar a cuid gruaige. Bhí a béal
chomh binn le glór na n-éan. Bhí a súile chomh lonrach
le seoda gleoite.

Thóg Tiarnán amach a chaipín cumhachta dearg agus
chuir sé ar a cheann é. Tá mé cinnte go bhfuil a fhios
agat céard a bhí istigh faoi.

"Réidh?" arsa seisean.

"Réidh," arsa an tÉinín i gcogar.

Shiúil Tiarnán anonn chuig Laoise Ní Chualáin.

"Haileo arís," arsa seisean. "Mise atá ann – Tiarnán."

"Agus?" arsa Laoise Ní Chualáin. Ní raibh sí ag féachaint ar Thiarnán. Bhí sí ag féachaint uirthi féin i scáthán agus í ag cur púdair ar a leicne.

"Sea, ach tá na príomhchathracha agam anois," arsa Tiarnán. "I ndáiríre."

D'fhéach Laoise Ní Chualáin air.

"Ceart go leor mar sin. Céard í príomhchathair na hIodáile?" arsa sise.

"An Róimh," arsa an tÉinín i gcogar faoin gcaipín.

"An Róimh," arsa Tiarnán.

"Céard í príomhchathair na Rúise?" arsa Laoise Ní Chualáin.

"Moscó," arsa an tÉinín i gcogar.

"Moscó," arsa Tiarnán.

"Céard í príomhchathair na Seapáine?" arsa Laoise Ní Chualáin.

"Tóiceo," arsa an tÉinín i gcogar.

"Tóiceo," arsa Tiarnán.

"An-mhaith," arsa Laoise Ní Chualáin. "Ar fhoghlaim tú na príomhchathracha sin ar fad ar mhaithe liomsa?"

"D'fhoghlaim," arsa Tiarnán. "Anois, más é do thoil é, an rachaidh tú amach liom?"

"Ní rachaidh," arsa Laoise Ní Chualáin.

"Iontach," arsa Tiarnán. "D'fhéadfadh muid dul chuig an trá agus - hé, céard a dúirt tú?"

"Dúirt mé nach rachaidh mé amach leat," arsa Laoise Ní Chualáin. Bhí sí ag cur **béaldath*** dearg ar a liopaí. "Tá m'intinn athraithe arís agam. Níl aon suim agam i bpríomhchathracha níos mó."

"Céard?" arsa Tiarnán. Ní raibh sé ábalta é a chreidiúint.

"Tá an-suim agam anois i gcineálacha bláthanna," arsa Laoise Ní Chualáin. "An bhfuil eolas agat ar bhláthanna?"

"Níl," arsa Tiarnán. "Féachann siad ar fad mar a chéile domsa."

Shín Laoise Ní Chualáin amach a lámh agus tharraing sí béal mór brónach ar aghaidh Thiarnáin lena béaldath dearg.

"Tar ar ais chugam nuair a bheidh eolas agat ar bhláthanna," arsa Laoise Ní Chualáin. "Ansin rachaidh mé amach leat."

* cosmaid le dath a chur ar na liopaí

"Ní rachaidh tú," arsa Tiarnán. "Athróidh tú d'intinn arís."

"Ní athróidh," arsa Laoise Ní Chualáin. "An chéad uair eile, geallaim duit go rachaidh mé amach leat."

Ag an nóiméad sin chuir an tÉinín cogar i gcluas Thiarnáin.

"Éist, tá mé an-mhaith ag cineálacha bláthanna freisin," arsa an tÉinín. "Sin rud eile a d'fhoglaim mé in Ollscoil na nÉan, chomh maith leis an mhata agus na príomhchathracha."

"Nach orm atá an t-ádh," arsa Tiarnán. "Agus nach iontach cliste an tÉinín thú."

"Cé leis a bhfuil tú ag caint?" arsa Laoise Ní Chualáin. "Cén sórt **leibide*** tú féin?"

"Tá mé tar éis cuimhneamh go bhfuil go leor eolais agam faoi bhláthanna," arsa Tiarnán. "Cuir ceist ar bith orm."

*   amadán; bómán

Caibidil 8

Tá an tÁdh le Tiarnán

D'fhéach Laoise Ní Chualáin ar Thiarnán de Staic.

"Bhfuil tú cinnte go bhfuil tú réidh?" arsa sise.

"Tá," arsa Tiarnán. "Coinnigh ort, cuir ceist ar bith orm."

"Ceart go leor," arsa Laoise Ní Chualáin. Shín sí a méar i dtreo blátha a bhí in aice le geata na scoile. "Céard é an ceann sin?"

"Rós," arsa an tÉinín i gcogar.

"Rós," arsa Tiarnán.

"Tús maith," arsa Laoise Ní Chualáin. "Cén t-ainm atá ar an gceann sin?"

"Nóinín," arsa an tÉinín i gcogar.

"Is nóinín atá ann, dar ndóigh," arsa Tiarnán.

"Agus an ceann sin?" arsa Laoise Ní Chualáin.

"Lile," arsa an tÉinín i gcogar.

"Lile," arsa Tiarnán.

"Maith thú," arsa Laoise Ní Chualáin. "D'éirigh leat sa scrúdú deireanach."

"An rachaidh tú amach liom mar sin?" arsa Tiarnán.

"Rachaidh," arsa Laoise Ní Chualáin.

"Ochón," arsa Tiarnán. "Bhí a fhios agam go n-athrófá d'intinn arís – fan nóiméad, céard a dúirt tú?"

"Dúirt mé go rachaidh mé amach leat," arsa Laoise Ní Chualáin.

"Wó!" arsa Tiarnán agus meangadh gáire air. Ní raibh sé ábalta é a chreidiúint.

"I dtosach báire, beidh tú in ann mé a thabhairt amach chuig bialann ghalánta," arsa Laoise Ní Chualáin. "Ansin tabharfaidh tú ag siopadóireacht mé. Tá mé ag iarraidh gúna nua agus slabhra órga. Tá mé ag iarraidh bróga dearga agus beidh tú ábalta mé a thabhairt ag damhsa ansin go bhfeicfidh gach duine chomh hálainn is atá mé."

D'fhéach Tiarnán ar Laoise Ní Chualáin. Bhí sé ina thost.

"Tá mé go hálainn, nach bhfuil a Thiarnáin?" arsa Laoise Ní Chualáin.

D'fhéach Tiarnán ar Laoise Ní Chualáin arís.

Smaoinigh sé ar an trioblóid ar fad a chuir sí air.

Smaoinigh sé ar na hamanna ar fad a d'athraigh sí a hintinn.

Smaoinigh sé ar na rudaí ar fad a theastaigh uaithi go gceannódh sé di.

Go tobann níor cheap sé gur bhreathnaigh sí chomh hálainn sin níos mó.

Bhreathnaigh sé anonn ar An Dochtúir Éamonn Ó Murchú agus í ag ithe a huachtar reoite.

Smaoinigh sé ar an mbealach a dtugann sí cúnamh dó i gcónaí.

Smaoinigh sé ar an gcluiche Mánas Mantach agus an Mhuicín a imríonn sí leis.

Agus níor thug sé faoi deara riamh roimhe sin go raibh súile áille lonracha aici.

"Tá brón orm," arsa Tiarnán le Laoise Ní Chualáin. "Uair éigin eile, b'fhéidir."

"Céard?" arsa Laoise Ní Chualáin. Ní raibh sí ábalta é a chreidiúint. "Níl cead ag duine ar bith Laoise Ní Chualáin a dhiúltú! Duine ar bith!"

Ach bhí Tiarnán imithe trasna chlós na scoile.

Shiúil sé anonn ag An Dochtúir Éamonn Ó Murchú.

"Tá brón orm go raibh mé i m'amadán le tamall anuas," arsa Tiarnán. "Ní dóigh liom gurb í sin an cailín domsa ar chor ar bith."

"An bhfuil tú cinnte?" arsa An Dochtúir Éamonn Ó Murchú.

"Cinnte dearfa," arsa Tiarnán. Tharraing sé anáil mhór isteach. "An Dochtúir Éamonn Ó Murchú, an rachaidh tú amach liom?"

"Mar chairde, an ea?" arsa An Dochtúir Éamonn Ó Murchú.

"Bhuel, sea," arsa Tiarnán. "Ach ba mhaith liom go mbeadh tú mar chailínchara agam freisin."

"Ba bhreá liom é," arsa An Dochtúir Éamonn Ó Murchú.

Bhain Tiarnán de a chaipín agus d'eitil an tÉinín suas san aer agus é ag ceol go binn. Thit an cloigín dá mhuineál isteach sa draein.

Ach ní cloigín a bhí ann ar chor ar bith.

Callaire* beag bídeach miotail a bhí ann, a raibh fuaimeanna ábalta teacht amach as.

Nuair nach raibh Tiarnán ag féachaint, chuir An Dochtúir Éamonn Ó Murchú an t-uachtar reoite isteach ina mála.

---

*   gaireas as a dtagann fuaim

Ach ní uachtar reoite a bhí ann ar chor ar bith.

Micreafón a bhí ann.

Bhí An Dochtúir Éamonn Ó Murchú ag tabhairt cúnaimh do Thiarnán an t-am ar fad. Ach, é sin ráite, bhí sí breá sásta nár roghnaigh sé Laoise Ní Chualáin.

Shín Tiarnán amach a lámh ag An Dochtúir Éamonn Ó Murchú. Shiúil an bheirt acu amach as clós na scoile lámh i lámh.

Is aisteach an rud é ach níor labhair an tÉinín go deo ina dhiaidh sin. Ach ba chuma le Tiarnán. Bhí greim aige ar lámh a **chara dhil*** agus bhí sé i ngrá léi.

*   a chara maith; a chara dílis